ESTE LIBRO
VIVE EN LA
ESTANTERÍA DE...

....

....

....

Michael Foreman
Amigos

LATA
de
SAL

Dedicado a la memoria de nuestro maravilloso gato Tex
y al pez de colores de mi suegra.

Título original: *Friends*
Primera publicación en Reino Unido, Andersen Press Ltd., 2012
20 Vauxhall Bridge Road, London SW1V 2SA

Publicado en Australia por Random House Australia Pty.,
Level 3, 100 Pacific Highway, North Sydney, NSW 2060

© del texto y las ilustraciones: Michael Foreman, 2012
© de esta edición: Lata de Sal Editorial, 2012
www.latadesal.com
info@latadesal.com

© de la traducción: Susana Collazo Rodríguez
© Maquetación y diseño de la colección: Aresográfico
© de la fotografía del autor: Andersen Press
© de la fotografía del niño y su gata: Paul Maven, 2012

Impresión: Gráficas Varona, S. A.
ISBN: 978-84-940584-3-1
Depósito Legal: M-33044-2012
Impreso en España

Este libro está hecho con papel procedente de fuentes responsables,
con papel estucado mate volumen de 170 g, encuadernado en cartoné al cromo
plastificado mate en papel estucado de 135 g sobre cartón de 2,5 mm
Está escrito con tipografía Eames Century Modern
Michael Foreman utilizó la técnica de la acuarela para ilustrar este libro
Y tiene el beneplácito de nuestros gatos Logan y Chasis

Amigos

Michael Foreman

LATA de SAL

Gatos

Tengo suerte.
Soy un gato.
Puedo recorrer el mundo a mi antojo,
de un extremo al otro.

Pobrecito Burbuja.
Él es un pez...
No puede salir de su pecera.

Nada dando vueltas, se sumerge hasta
el fondo y luego sube hasta la superficie.
Después vuelve a nadar dando vueltas
pero en sentido contrario.

Entonces me mira, y suspira.
Es mi amigo. Me rompe el corazón.

Un día que recorría el mundo a mi antojo,
tuve una idea...

¡El cubo sería perfecto!

—¡Venga, Burbuja, salta!

—¡Estupendo!

Llevé a Burbuja al lago del parque.
Los ojos se le pusieron como platos.

Suspiró maravillado al contemplar los patos y los gansos que volaban, y los peces oscuros que nadaban entre los nenúfares. Suspiró de nuevo...

—Y esto no es nada —dije.

Entonces lo llevé hasta el río.
Los ojos se le pusieron todavía más grandes.
¡Nunca había visto tanta agua!

Después seguimos el río hasta el ancho mar.

Contemplamos las olas que venían rizándose hacia nosotros desde el horizonte, y también los bancos de peces que nadaban en las oscuras profundidades.

—Vamos, Burbuja —dije—. Lánzate.
¡Ya puedes nadar a tu antojo!

Pero él me miró y esta vez no suspiró.
Negó con la cabeza... y una sonrisa burbujeó en su rostro.
—Volvamos a casa —dijo—.
—Puede que haya muchos otros peces en el mar,
pero jamás encontraría a un amigo como tú.

Así que ahora vamos los dos juntos a nuestro antojo,
al lago, al río, al mar...

A veces vagamos por las colinas y bosques
que hay lejos de la ciudad...

Y, cuando llueve,
exploramos la gran ciudad.

Burbuja y yo
tenemos todo un
mundo que ver
desde aquí...

hasta el final del arco iris.